Les 20 plus belles histoires à lire le soir

GALLIMARD JEUNESSE

Coordination éditoriale : Alice Liège
Maquette : Natacha Kotlarevsky et Laure Massin

ISBN : 2-07-057375-3

Numéro d'édition : 139722
Loi n° 49-956 du 16 juillet 1949
sur les publications destinées à la jeunesse
Dépôt légal : septembre 2006
Imprimé en Espagne

Illustrations page 5 : Charlotte Voake,
Emma Chichester Clark, Tony Ross et Tor Freeman
Page 6 : Tor Freeman. Page 7 : Quentin Blake
Page 140 : Tony Ross

Les 20 histoires

Tom Chaton

BEATRIX POTTER

Il était une fois trois chatons
qui s'appelaient Moufle, Tom Chaton
et Mitoufle. Leur fourrure était douce
et brillante. Souvent, ils faisaient
des cabrioles devant la porte et jouaient
dans la poussière.
Un jour, leur mère, Madame Tabitha
Tchutchut, avait invité des amies
à prendre le thé. Elle alla chercher
ses trois chatons pour les laver et
les habiller avant que ses hôtes n'arrivent.
Elle commença par les débarbouiller
(voici Mitoufle). Puis elle les brossa
(voici Moufle). Enfin, elle leur peigna
la queue et les moustaches (celui-ci,
c'est Tom Chaton). Tom avait mauvais
caractère et se mit à griffer sa mère.
Tabitha Tchutchut habilla Mitoufle
et Moufle de robes blanches et
de collerettes. Pour Tom Chaton,
elle sortit d'une commode un costume
très élégant, mais pas très confortable.
Tom était bien potelé et il avait beaucoup
grandi depuis quelque temps. Plusieurs
boutons de son costume sautèrent, mais
sa mère les recousit aussitôt. Quand
les trois chatons furent prêts, Tabitha
eut l'imprudence de les renvoyer jouer
au jardin pour qu'ils la laissent tranquille
pendant qu'elle préparait les toasts.

– Faites attention de ne pas salir vos costumes, les enfants ! Marchez sur vos pattes de derrière et gardez-vous d'aller jouer près du tas de fumier ou du poulailler. N'allez pas non plus à la porcherie ni à la mare aux canards.

Mitoufle et Moufle descendirent l'allée du jardin d'un pas mal assuré. Presque aussitôt, toutes deux se prirent les pieds dans leurs robes et tombèrent le nez en avant. Quand Moufle et Mitoufle se relevèrent, il y avait plusieurs grosses taches sur leurs vêtements.

– Grimpons sur les rocailles et allons nous asseoir sur le mur du jardin, proposa Mitoufle.

Elles mirent leur robe sens devant derrière et sautèrent d'un bon sur le mur. Mais la collerette blanche de Mitoufle tomba sur le chemin qui passait juste au-dessous. Tom Chaton, empêtré dans son pantalon, n'arrivait pas à sauter. Il escalada les rocailles en piétinant les fougères et en semant ses boutons à droite et à gauche. Il était tout dépenaillé lorsqu'il atteignit le mur. Mitoufle et Moufle essayèrent de remettre de l'ordre dans ses vêtements. Mais son chapeau tomba et ses derniers boutons sautèrent.

Tandis qu'ils s'affairaient ainsi,
ils entendirent les pas de trois canards
qui marchaient, peti-peta, l'un derrière
l'autre en se dandinant le long
du chemin. Ils avançaient à petits pas,
peti-peta, de-ci, de-là. Ils s'arrêtèrent
et observèrent les chatons de leurs petits
yeux surpris. Deux des canards, Rebecca
et Sophie Canétang, ramassèrent
le chapeau de Tom Chaton et
la collerette de Mitoufle. L'une se coiffa
du chapeau, l'autre attacha la collerette
à son cou. Moufle se mit à rire si fort
qu'elle en tomba du mur. Mitoufle
et Tom Chaton la suivirent, mais,
en descendant du mur ils perdirent
ce qui leur restait de vêtements.
– Monsieur Canétang, dit Mitoufle,
venez nous aider à rhabiller
Tom Chaton.
Monsieur Canétang s'avança
en se dandinant et vint ramasser
un à un les vêtements de Tom.

Mais il s'en revêtit lui-même
et ils lui allaient encore moins bien
qu'au chaton.
– Quelle belle matinée ! dit le canard.
Puis il se remit en route, accompagné
de Rebecca et de Sophie Canétang,
peti-peta, de-ci, de-là.

Elle les envoya dans leur chambre
et je suis obligée de dire que Tabitha
fit croire à ses amies que ses trois chatons
étaient au lit avec la rougeole, ce qui,
bien sûr, n'était pas vrai.
En fait, les trois chatons n'étaient pas
du tout au lit. Bien au contraire,
ils étaient en train de s'amuser
et les invitées de Tabitah
les entendaient faire beaucoup de bruit
au-dessus de leur tête, ce qui les empêcha
de boire leur thé tranquillement.
Je crois qu'un jour il faudra que j'écrive
un autre livre, un gros livre pour vous
en dire plus sur Tom Chaton.

Bientôt, Tabitha Tchutchut descendit
dans le jardin et trouva ses chatons
sur le mur sans aucun vêtement.
Elle les fit descendre, leur donna
à chacun une tape et les ramena
à la maison.
– Mes amies vont arriver d'un moment
à l'autre et vous n'êtes pas présentables !
Vous me faites honte !

Quant aux canards, ils retournèrent
dans leur mare et tous leurs vêtements
tombèrent au fond de l'eau faute
de boutons pour les attacher.
Monsieur Canétang, Rebecca et Sophie
les ont longtemps cherchés
et les cherchent encore.

Les ours de Grand-Mère

GINA WILSON ~ PAUL HOWARD

La grand-mère de Paul habitait avec des ours dans une petite maison à la campagne.
Quand Paul venait goûter, les ours ne se montraient jamais. Mais, cette fois-ci,
il allait rester dormir là-bas, et il espérait bien faire leur connaissance.
– Je vais les voir, n'est-ce pas ? demanda-t-il à Grand-Mère sur le chemin
de la maison. Ils sont grands ?
– Très grands, répondit Grand-Mère.
– Et ils sont très méchants ?
– Non, pas quand je suis là.
– Tu crois qu'ils seront gentils avec moi ?
– Bien sûr, si tu es gentil avec eux !
– Je suis certain que nous allons très bien nous entendre ! s'écria Paul.
Mais, lorsque Grand-Mère ouvrit la porte de la maison, Paul ne fut plus aussi sûr de lui...
Un ours gigantesque leur barrait le passage. Il avait l'air très mécontent.
La tête entre les pattes, il poussait de longs grognements.

– Pauvre Arthur ! soupira Grand-Mère. Il a horreur de la pluie et du désordre. Il aime que tout soit bien net et bien rangé. Nos manteaux sont trempés ! Mettons-les vite à sécher !
– Nous pourrions aussi laisser nos bottes sur le paillasson, murmura Paul, pas vraiment rassuré.
– Excellente idée ! Et, pendant que je prépare un chocolat chaud, apprends donc à Arthur l'un de ces jeux dont tu as le secret !

Grand-Mère partie dans la cuisine, Paul se retrouva seul dans l'entrée avec Arthur.
Il leva vers lui des yeux inquiets. L'ours jeta sur Paul un regard perplexe.
Soudain, Paul se lança :
– Essaie de faire comme moi ! dit-il à Arthur, en sautant sur le sol carrelé.
Hop, un carreau blanc ! Hop, un carreau noir ! Arthur lui emboîta le pas, pof, pof,
à cloche-pied sur ses énormes pattes bien rembourrées.
– Perdu ! s'écria Paul. Tu marches sur le bord des carreaux ! Recommençons !
Quand ils eurent fini de jouer, Arthur, avec ses longues griffes délicates,
lissa sa fourrure et mit de l'ordre dans les cheveux de Paul.
Il avait complètement oublié la pluie !

Dans la cuisine, avec Grand-Mère, il y avait une ourse toute ronde appelée Mélanie.
Penchée au-dessus de l'évier, elle se frottait les yeux.
– Mélanie a du savon dans les yeux, expliqua Grand-Mère.
Mélanie se retourna. Son museau était couvert de mousse et elle avait du mal à voir.
– Elle a cru que c'était de la glace à la vanille, poursuivit Grand-Mère.

Paul avait envie de serrer Mélanie dans ses bras, mais il n'osait pas.
– Que peut-on lui donner de bon à manger ? demanda-t-il.
– Des beignets à la confiture ? proposa Grand-Mère. J'en ai acheté pour le goûter. Vous pouvez les partager pendant que je fais chauffer le lait.
Paul s'assit et ouvrit la boîte de beignets.
– Tu en veux un, Mélanie ?
Encore pleine de mousse, l'ourse se précipita avec entrain sur les gâteaux. SCHLURFF ! Elle allait engloutir toute la boîte !
– Eh, doucement ! lui dit Paul en riant. Tiens, un pour toi, un pour moi...
Quand ils eurent fini de manger, Mélanie nettoya à petits coups de langue râpeuse les grains de sucre et les traces de confiture sur son museau et sur le nez de Paul. Elle avait complètement oublié le savon !

Le salon était bien douillet. Grand-Mère avait fait du feu et allumé la télévision.
Le téléphone sonna dans l'entrée.
– C'est sûrement ta maman, Paul ! s'écria-t-elle.
– Dis-lui que je ne peux pas lui parler, répondit Paul. Je suis occupé avec les ours !
Il venait d'apercevoir Bougon, étendu de tout son long sous la table,
les yeux fermés et l'air maussade.

Paul se glissa à son tour sous la table.
– Qu'est-ce qui ne va pas, Bougon ? Ce sont les informations qui ne te plaisent pas ?
Tu veux regarder autre chose ?
Bougon ouvrit un œil. Il bâilla, s'étira et un léger grognement lui échappa.
Un pot de miel caché sous son ventre roula sur le plancher.

Il se dirigea sans bruit
vers la télévision et se mit
à donner de grands coups
de patte sur les boutons.
– Du football ! s'écria
Grand-Mère qui entrait
dans le salon avec le plateau
du dîner. Chic alors !

Quand vint l'heure
de se coucher, Paul regarda
le grand escalier sombre
de Grand-Mère. Il frissonna.
– J'ai peur de monter là-haut
tout seul, dit-il. Je voudrais
que les ours m'accompagnent,
s'il te plaît !
– Il doit y en avoir d'autres
qui t'attendent à l'étage,
répondit Grand-Mère
en lui prenant la main.
En effet, lorsqu'ils ouvrirent
la porte de la salle de bains,
ils aperçurent cette bonne
vieille Félicie ! Au milieu
de la vapeur, sa fourrure
ressemblait à une immense
serviette blanche comme neige.
Lorsque Paul sortit de son bain,
elle s'enroula étroitement
autour de lui.

Après avoir mis Paul au lit, Grand-Mère s'assit près de lui pour lui lire son histoire préférée. Tous les ours entrèrent dans la chambre à pas feutrés pour écouter, eux aussi.
Arthur se mit debout sur une patte afin de travailler son équilibre.
Mélanie et Bougon sautèrent sur le lit pour faire des câlins à Paul.
Félicie s'allongea aux pieds de Grand-Mère. Elle contemplait fièrement le petit garçon le plus propre jamais sorti de sa salle de bains. Grand-Mère avait fini de lire l'histoire.

– Dors bien, mon petit Paul, dit-elle en l'embrassant. Je suis si contente que tu t'entendes bien avec mes ours !
– Je savais qu'on s'entendrait bien ! renchérit Paul. Je voudrais qu'ils restent avec moi. J'ai peur du noir !
Grand-Mère secoua la tête.
– Tu n'as rien à craindre, mon chéri.
Elle lui donna un autre baiser.
– Tu n'as qu'à bien te pelotonner sous les draps.
Elle sortit de la chambre et les ours la suivirent. Paul resta seul avec une veilleuse pour toute compagnie.

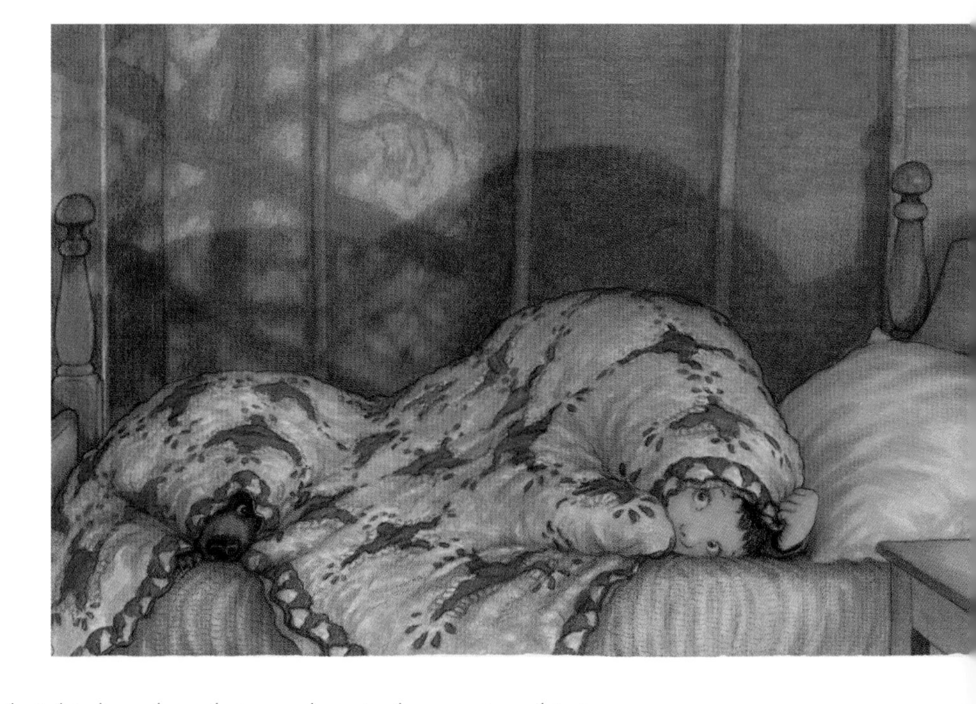

Paul commença à avoir peur.
Il était vraiment tout seul.
La chambre était pleine d'ombres de plus en plus grandes et de plus en plus noires qui semblaient se rapprocher de lui.
Il plongea sous les draps et les rabattit sur sa tête.
Retenant sa respiration, il se pelotonnait bien comme Grand-Mère le lui avait conseillé.
Tout à coup, il sentit ses pieds s'enfoncer dans quelque chose qui ressemblait à une fourrure douce et chaude.
Ce « quelque chose » commença à lui lécher les doigts de pieds, couina légèrement et émergea des couvertures, curieux de voir à qui appartenaient ces doigts de pieds.
Paul poussa un cri de surprise en se retrouvant nez à nez avec un ourson gris cendré.
C'était le plus jeune du groupe. Il avait des yeux bruns tout ronds et un petit museau fouineur.
Les ombres n'effrayaient pas du tout Petit-Gris. Il aimait qu'on lui chatouille le ventre et qu'on le serre fort dans ses bras. Il voulait s'allonger à côté de Paul et poser la tête sur son oreiller.

– Si nous dormions, maintenant ?
proposa Paul en bâillant.
Il avait complètement oublié
les ombres !
À minuit, Grand-Mère jeta un coup
d'œil dans la chambre et les trouva
profondément endormis.
– Cher Petit-Gris ! murmura-t-elle.
Comme je suis heureuse
que tu t'entendes si bien avec
mon petit Paul !
Et elle referma la porte, laissant
les deux amis dormir à poings fermés
jusqu'au lendemain.

Laissez dormir le roi Alimango !

JUDY SIERRA ~ VALERI GORBACHEV

À l'époque où le monde était beaucoup plus paisible que maintenant – c'est-à-dire il y a fort longtemps – un crabe dénommé Alimango régnait sur toutes les petites créatures qui vivaient sur la berge sablonneuse d'une rivière.
Un soir, le roi Alimango déclara :
– Je suis fatigué, je vais aller dormir. Qu'on ne me dérange sous aucun prétexte ! Quiconque troublera mon sommeil sera sévèrement puni !
Les petits crabes qui montaient la garde à l'entrée de son trou firent claquer leurs pinces, *clic, clic, clic,* en balbutiant :
– Oui, Votre Majesté, bien sûr, Votre Majesté !
Alimango se nicha dans son lit de sable.
Soudain, des crapauds se mirent à rire, *braaah, braaah, braaah* !
– Silence ! hurla le roi. Vous ne voyez pas que j'essaie de dormir ?
Les crapauds se remirent à rire, *braaah, braaah, braaah* !
Alors Alimango jaillit hors de son trou en criant :
– Gardes ! Arrêtez-les immédiatement !
Les petits crabes se précipitèrent sur les crapauds, *pitik, pitik, pitik,* et ils les amenèrent devant le roi.
– Ainsi donc, vous osez rire, *braaah, braaah, braaah,* et vous m'empêchez de dormir !
– Ce n'est pas notre faute,

coassèrent les crapauds. Nous venons de voir passer
quelqu'un qui traînait sa maison sur son dos, *shouf, shouf, shouf.*
Nous n'avons pas pu nous retenir !
– Qui donc traîne sa maison sur son dos, *shouf, shouf, shouf* ? interrogea le roi.
– L'escargot.
– Gardes ! Arrêtez cet escargot sur-le-champ ! ordonna Alimango.
Les petits crabes se précipitèrent sur l'escargot, *pitik, pitik, pitik,*
et ils l'amenèrent devant le roi.
– Ainsi donc, tu traînes ta maison sur ton dos, *shouf, shouf, shouf,* et tu fais rire
les crapauds, *braaah, braaah, braaah,* et tu m'empêches de dormir !
– Je n'y suis pour rien, pleurnicha l'escargot. Quelqu'un vient de passer
près de moi en faisant des étincelles, *tzink, tzink, tzink,* et j'ai eu peur qu'il mette
le feu à ma maison.
– Qui donc faisait des étincelles ?
– La luciole.
– Gardes ! Arrêtez cette luciole, et plus vite que ça ! ordonna Alimango.
Les petits crabes se précipitèrent sur la luciole, *pitik, pitik, pitik,*
et ils l'amenèrent devant le roi.
– Ainsi donc, tu te promènes en faisant des étincelles, *tzink, tzink, tzink,* et tu fais
peur à l'escargot qui traîne sa maison sur son dos, *shouf, shouf, shouf,* et qui fait rire
les crapauds, *braaah, braaah, braaah,* et tu m'empêches de dormir !
– Ce n'est pas ma faute, protesta la luciole. C'était pour éloigner quelqu'un
qui me poursuivait, *zzzz, zzzz, zzzz,* et qui voulait me piquer.
– Et qui donc te pourchassait en faisant *zzzz, zzzz, zzzz* ?
– Le moustique.

– Gardes ! Qu'attendez-vous ? Arrêtez tout de suite ce moustique ! tonna le roi.
Les petits crabes se précipitèrent sur le moustique, *pitik, pitik, pitik,*
et ils l'amenèrent devant le roi.
– Ainsi donc, tu fais *zzzz, zzzz, zzzz,* en poursuivant la luciole qui lance
des étincelles, *tzink, tzink, tzink,* et qui fait peur à l'escargot qui traîne sa maison
sur son dos, *shouf, shouf, shouf,* et qui fait rire les crapauds, *braaah, braaah, braaah,*
et tu m'empêches de dormir !
– Zzze n'y suis pour rien, c'est dans ma nature, zézaya le moustique.
Zzze suis obligé de piquer les autres pour vivre.
– C'est donc de ta faute, décréta Alimango. Gardes ! Attrapez ce moustique
et jetez-le au cachot !
Mais le moustique échappa aux pinces des petits crabes. Puis il s'éleva
très haut dans les airs et fonça droit sur le roi. Alimango disparut
au fond de son trou et s'empressa d'en boucher l'entrée avec du sable.
Depuis ce jour, le moustique n'a de cesse de harceler le crabe.
Mais, comme il n'a pas de très bons yeux, il se trompe tout le temps
et il prend les oreilles des gens pour l'entrée de son trou.
Et on l'entend faire :
– Zzzz, zzz, zzzz... Zzzze n'y suis pour rien, zzzze n'y suis pour rien,
c'est dans ma nature !

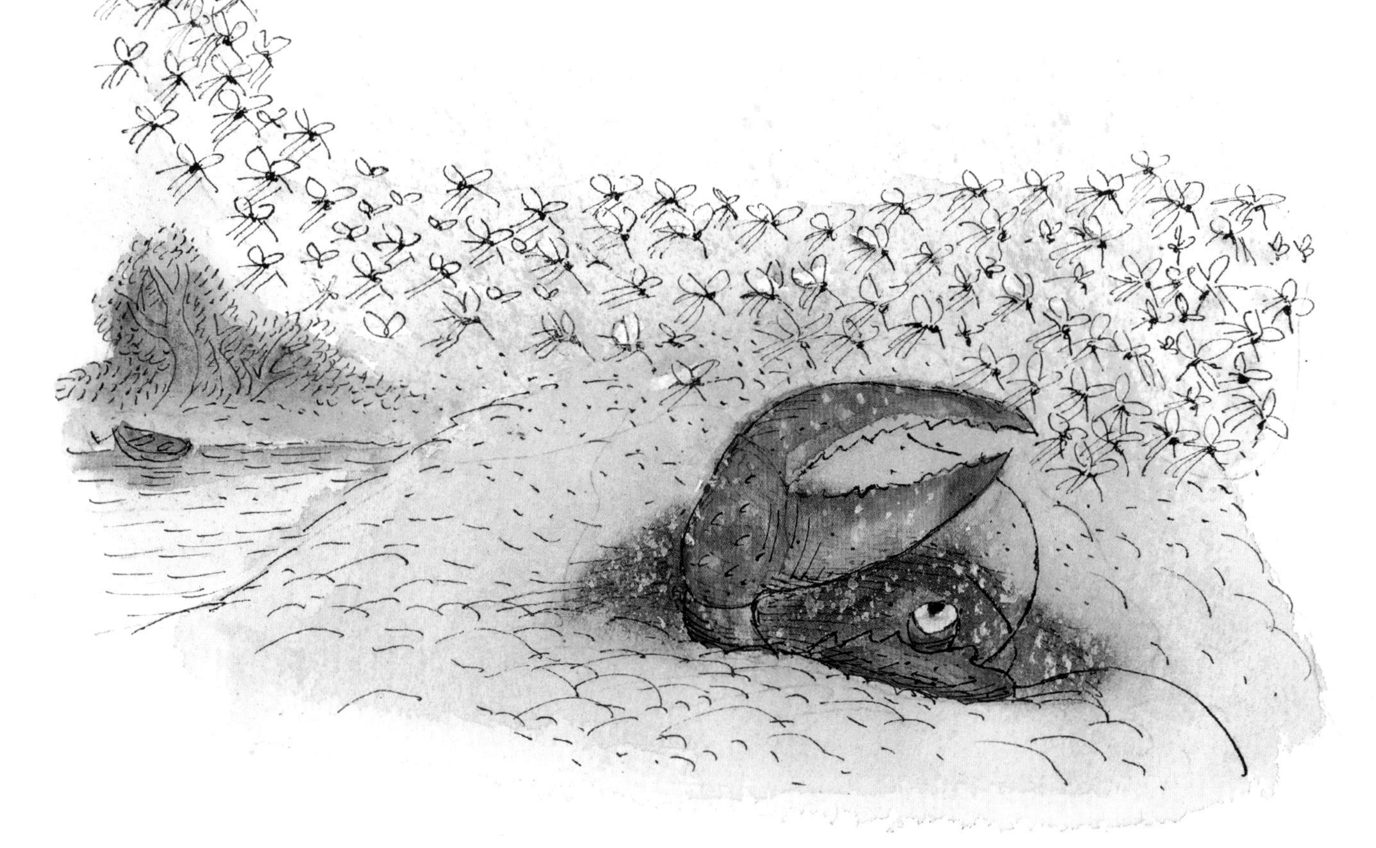

De tout mon cœur

Jean-Baptiste Baronian ~ Noris Kern

Ce matin-là, Polo, le petit ours polaire, s'en va pêcher seul sur la banquise.
Alors qu'il est occupé à percer un trou dans la glace, arrive le caribou.
– L'eau est glacée, lui dit le caribou.
Tu vas tomber malade, et cela fera de la peine à ta maman.
Tu sais bien qu'elle t'aime de tout son cœur.
Polo est intrigué. Il se demande comment sa maman peut l'aimer avec son cœur.
« Il faut que je lui pose la question », se dit-il.
Et il s'éloigne de la banquise pour rentrer chez lui.

Sur le chemin du retour, il rencontre Pinpin, son ami le petit pingouin.
– Tu tombes à pic, dit Polo, j'ai quelque chose à te demander : ta maman, est-ce qu'elle t'aime de tout son cœur ?
Pinpin réfléchit. L'image de sa maman qui le tient bien au chaud sous ses ailes lui passe par la tête.
– Ma maman à moi, dit Pinpin, elle m'aime avec ses ailes.

Un peu plus loin, Polo rencontre Félicien, le petit phoque, et lui demande :
– Pourrais-tu me dire comment t'aime ta maman ?
– Ce que je peux te dire, c'est qu'elle m'aime avec ses nageoires.

Polo est de plus en plus intrigué. Il poursuit son chemin et aperçoit Victor, le petit loup blanc. Et aussitôt il l'interroge :
– Je sais que tu aimes ta maman, Victor, mais pourrais-tu me dire comment elle t'aime ?
Victor est tout surpris.
– C'est une drôle de question, mais ce n'est pas difficile de te répondre : ma maman, elle me mordille, elle m'aime avec ses dents.

Pinpin le petit pingouin, Félicien le petit phoque et Victor le petit loup suivent Polo qui rentre à la maison.

Polo arrive chez sa maman et va se frotter contre elle.
– Ta fourrure est douce, dit Polo. Cela veut-il dire que tu m'aimes avec ta fourrure ?
– Oui, et avec toute ma personne, répond-elle.

– Toute ta personne ?
Je ne comprends pas, dit
Polo, si tu m'expliquais...
– Eh bien, avec mes yeux,
par exemple.
– Avec tes yeux ?
– Mais oui !
Quand je te vois rentrer,
je suis tellement contente
que mes yeux brillent.

– C'est vrai qu'ils brillent très fort... Et ton nez aussi brille très fort...
Est-ce que tu m'aimes aussi avec ton nez ?
– Naturellement. Lorsque tu te serres contre moi, je trouve que tu sens si bon !

– Alors tu m'aimes aussi avec ta bouche ?
– Oui. J'adore te mordiller.
– Et avec tes pattes ?
– Oui, j'adore te chatouiller et te faire tournebouler.

Polo se blottit davantage contre sa maman.
La journée a été longue et pleine de surprises, et il se sent fatigué.
– Tu sais, Maman, dit-il tout à coup, moi je t'aime aussi avec mon sommeil.
Quand je dors, je rêve de toi.

Ses paupières sont lourdes
et, bientôt, Polo s'endort,
tout souriant.
« Ah, c'est ça, aimer
avec son sommeil !
pense sa maman
en le regardant.
Je crois que toi aussi, Polo,
tu m'aimes de tout
ton cœur. »

Les Bizardos rêvent de dinosaures

Allan Ahlberg ~ André Amstutz

Dans une sombre, sombre rue
se dresse une haute, haute maison.
Dans cette haute, haute maison
se trouve une sombre, sombre cave.
Dans cette sombre, sombre cave,
il y a un confortable, confortable lit
et dans ce confortable, confortable lit…

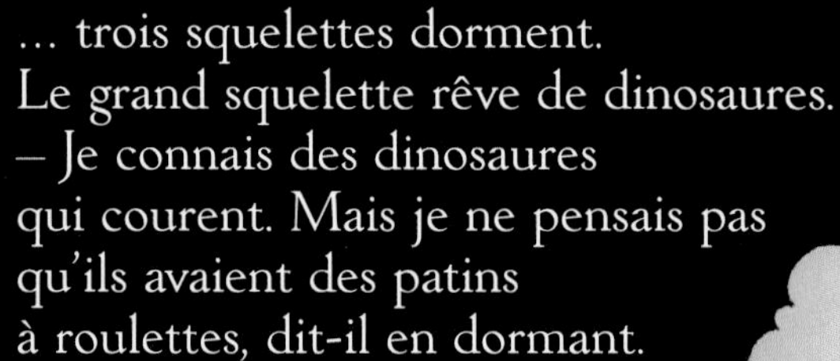

… trois squelettes dorment.
Le grand squelette rêve de dinosaures.
– Je connais des dinosaures
qui courent. Mais je ne pensais pas
qu'ils avaient des patins
à roulettes, dit-il en dormant.

Soudain, le petit squelette
est poursuivi par un petit dinosaure.
– Vous ne pouvez pas faire attention,
dit-il.
– Vous n'êtes qu'un fossile.
– Grr ! gronde le dinosaure.
– Au secours, crie le petit squelette.
Et il s'enfuit au loin.

Le petit squelette rêve
lui aussi de dinosaures.
– Je connais des dinosaures
qui nagent. Mais je ne pensais
pas qu'ils avaient des bouées !
dit-il.

Soudain, le grand squelette est poursuivi par un très grand dinosaure.
– Vous ne pouvez pas faire attention, dit-il.
– Vous n'êtes qu'un rêve.
– Grr! gronde le dinosaure.
– Au secours, crie le grand squelette. Et il s'enfuit.

Le squelette chien rêve lui aussi de dinosaures.
Soudain, dans son rêve apparaissent le petit squelette poursuivi par le petit dinosaure et le grand squelette poursuivi par le gros dinosaure.

Le squelette chien aboie après les dinosaures:
– Ouah!
Et il se met à les poursuivre.
– Oh! là, là, dit le grand squelette.
– Oh! là, là, dit le petit squelette.
– Donne un os au chien!

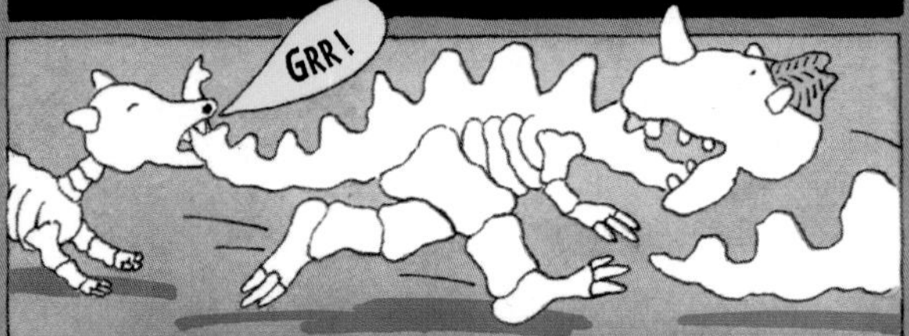

Et les dinosaures se cachèrent au loin.

... tas d'os
Mais pour on ne sait quelle raison
(rappelez-vous, ceci est un rêve),
le grand squelette
et le petit squelette
rassemblèrent
tous les os de
dinosaures. Et
fabriquèrent
le plus
grand des
dinosaures
qu'on ait
jamais vu...
... et qui les poursuivit.

Enfin, le grand squelette et le petit squelette se réveillèrent.
Ils se frottèrent les yeux, firent craquer leurs articulations et se racontèrent leur rêve.

– J'ai fait un rêve de dinosaures, dit le grand squelette, et tu y étais.
– Non, je n'y étais pas, répondit le petit squelette, c'est toi qui étais dans mon rêve. Puis le grand squelette dit :

– Qu'est-ce qu'on pourrait faire, maintenant ?
– Allons promener le chien, fit le petit squelette.
– Bonne idée, s'exclama le grand squelette.

Mais le chien squelette n'a pas envie d'aller se promener. Il dort encore.
Il a un os de rêve dans sa gueule, en rêve...

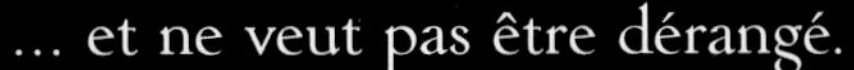

... et ne veut pas être dérangé.

Fin

Pénélope est polie

Anne Gutman ~ Georg Hallensleben

C'est l'heure des parents.
Pénélope veut emporter sa peinture à la maison et la donne à Maman.
– N'as-tu pas oublié de dire quelque chose à ta maîtresse avant de partir ? demande Maman.
– Bonjour ! crie Pénélope.

Mais non, voyons !
Pénélope s'est trompée.
Il faut dire « Au revoir »
en partant, pas « Bonjour » !
Pénélope est un peu
tête en l'air !

– AÏÏÏE! dit le chat sur lequel Pénélope vient de marcher sans faire exprès.
Pénélope le prend vite dans ses bras.
– Qu'est-ce qu'on dit, Pénélope? demande Papa.
– Merci! répond Pénélope en caressant le chat.

– Mais non, voyons!
Pénélope s'est trompée. Il faut dire «Pardon» au chat, pas «Merci»!

Pénélope téléphone à Lili-Rose pour l'inviter à jouer.
– Lili ? c'est Pénélope, dit Pénélope.
– Qu'est-ce qu'on dit ? chuchote Maman, à côté du téléphone.
– Au revoir ! dit Pénélope.

Mais non, voyons ! Pénélope s'est trompée. Si elle dit « Au revoir », Lili-Rose va raccrocher. Elle doit dire « Bonjour », pas « Au revoir » !

Pénélope ne trouve plus Doudou.
– Je ne peux pas dormir sans lui, explique-t-elle.
Papa et Maman le cherchent partout, mais Doudou est bien difficile à trouver.

Heureusement, Papa a l'idée de regarder sous l'oreiller.
– Doudou ! crie Pénélope.
– Qu'est-ce qu'on dit ? demande Maman.
– Pardon ! répond Pénélope.

Mais non, voyons ! Pénélope s'est trompée.
Il faut dire « Merci » à Papa, pas « Pardon » !

Avant de dormir, Pénélope veut raconter à Maman tout ce qu'elle a compris aujourd'hui.
– Je dis merci, pour les cadeaux, ou lorsque Papa me donne sa dernière crêpe au chocolat. Je dis bonjour au chat le matin, ou à Papa. Je dis pardon, quand j'éternue trop fort et que je fais sursauter toute la classe. Et je dis au revoir aux canards, quand il n'y a plus de pain dans mon sac. Voilà ! explique Pénélope.

– Bravo, Pénélope ! dit Maman, tu as tout compris !
Et maintenant, qu'est-ce qu'on dit ?
– Merci ? demande Pénélope.
– Non, répond Maman.
– Pardon, alors ? demande Pénélope.
– Non, dit Maman.
– Bonjour ?
– Non plus.
– Au revoir ?
– Presque...

... On dit bonne nuit !

Melrose et Croc

EMMA CHICHESTER CLARK

Un jour, c'était juste avant Noël, un petit crocodile vert, qui portait une valise, marchait dans une rue animée. À quelques pas de là, un chien jaune, qui s'appelait Melrose, rentrait chez lui.
Petit Croc Vert était venu en ville pour voir le Père Noël au grand magasin.
Il était extrêmement impatient. Il lut encore une fois le prospectus :

Venez voir LE PÈRE NOËL
aux Galeries Lafête !
Réalisez tous vos rêves !

« Demain, songea Croc, sera un jour merveilleux. »
Melrose venait, lui aussi, d'arriver en ville. Il décorait son nouvel appartement.
« J'aimerais bien avoir quelqu'un avec qui le décorer, se dit-il. J'aimerais bien que quelqu'un d'autre voie tout cela. »
Il contempla les décorations de l'arbre de Noël. « Autant les ranger tout de suite, pensa-t-il. À quoi bon décorer un arbre de Noël pour moi tout seul ? »

Ce soir-là, Melrose admira la jolie vue de sa fenêtre et soupira :
– C'est Noël... Je devrais être heureux et pourtant je suis triste.
Petit Croc Vert regardait la vaste mer sous les étoiles.
Il était trop excité pour dormir.

Le lendemain matin, Croc se présenta au grand magasin :
– S'il vous plaît, où pourrais-je trouver le Père Noël ?
– Oh, je crains que vous ne l'ayez manqué, répondit le directeur. Il était ici la semaine dernière.
Il est très occupé aujourd'hui : c'est ce soir, Noël.
Croc se retint de pleurer devant tout le monde.

«Je suis nul, pensa Croc. Je me suis complètement trompé...
et, en plus, me voilà trempé!»
Petit Croc Vert fondit en larmes; peu lui importait à présent.

Melrose n'avait vu ni Croc
ni la flaque d'eau.
Il était encore un peu perdu
dans cette ville inconnue.
«J'aimerais bien trouver
un moyen de me remonter
le moral, souhaita-t-il.
Et j'aimerais bien aussi
trouver un ami.»
Il soupira. Une dame
distribuait des cadeaux.
– Tenez, pour vous et les vôtres,
lui dit-elle avec un sourire.
– Merci, répondit tristement
Melrose.

Croc trouva un endroit où s'abriter de la neige.
«J'ai été trop bête de venir ici», pensa-t-il tandis qu'une larme tombait sur sa valise.
Quand tout à coup il entendit de la musique, une jolie musique portée par le vent, et il décida de la suivre...
Petit Croc Vert oublia tout. Il s'élança sur la glace, glissa, tourna, virevolta.

Melrose évoluait lui aussi sur la patinoire.
Il filait plus vite que la lumière. Il se sentait plus léger que l'air.
«Si seulement je pouvais patiner toute la vie!» songea Melrose.
«Si seulement je pouvais patiner toute la vie...» songea Croc.
À droite, à gauche...
en avant, en arrière...
de plus en plus vite...
Quand, soudain...
BADABOUM!
– Aïe! s'exclama Melrose.
– Ouille! s'exclama Croc.
– Je suis vraiment désolé! s'excusa Croc.
– Non, non, non, c'est moi! insista Melrose. Allez, venez, allons prendre un thé.
Au salon de thé, ils se racontèrent tout.

– ... Et maintenant, je n'aurai pas de Noël, conclut Croc.
Melrose eut alors une idée de génie.
– Venez donc fêter Noël avec moi! Nous allons acheter un sapin et le Père Noël passera!
Croc essuya une dernière larme.
– Cela me ferait très plaisir, dit-il.

Tandis que Melrose préparait le dîner, Petit Croc Vert décora le sapin.
– Regardez! s'écria Melrose. Je vous l'avais bien dit:
le voilà!

Le lendemain, c'était le jour
de Noël.
– Tous mes rêves se réalisent!
dit Croc.
– Les miens aussi, dit Melrose.
Je voulais un ami
et je vous ai trouvé!
– Moi aussi, je vous ai trouvé!
Joyeux Noël, répondit Croc
avec un beau sourire.

Gruffalo

JULIA DONALDSON ~ AXEL SCHEFFLER

Une petite souris se promène
dans un bois très sombre.
Un renard l'aperçoit de son terrier
et la trouve bien appétissante.
– Où vas-tu, jolie petite souris ?
Viens, je t'invite à déjeuner
dans mon humble demeure.
– Merci infiniment, monsieur
le Renard, mais je ne peux accepter !
J'ai rendez-vous avec un gruffalo.
– Un gruffalo ?
C'est quoi un gruffalo ?
– Comment, vous ne connaissez pas
le gruffalo ! Il a des crocs
impressionnants et des griffes
acérées, ses dents sont plus coupantes
que celles d'un requin.
– Où avez-vous rendez-vous ?
– Ici, près des rochers.
Et son plat préféré, c'est le renard
à la cocotte.

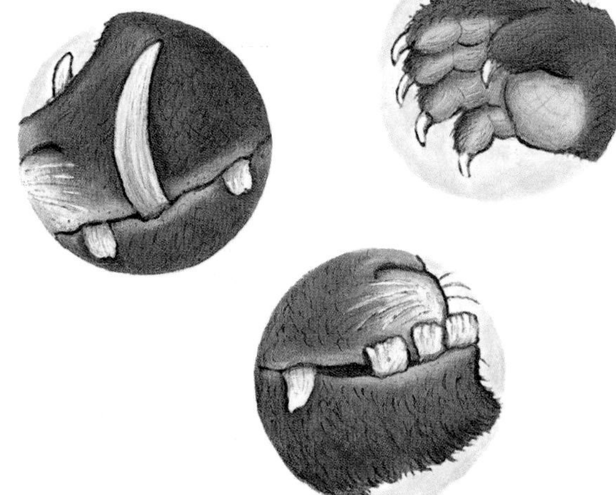

– Le renard à la cocotte, vraiment ?
Bon, eh bien, salut, p'tite souris,
dit le renard en hâte.
Et il se sauve.
– Pauvre vieux renard, il ne sait donc
pas que le gruffalo n'existe pas !
La petite souris continue sa promenade
dans le bois très sombre.

– Où avez-vous
rendez-vous ?
– Ici, au bord de l'eau.
Et son plat préféré,
c'est le hibou au sirop.
– Le hibou au sirop ?
Excusez-moi,
mais je dois partir.
Salut, p'tite souris,
dit le hibou
précipitamment.
Et il s'envole.
– Pauvre vieux hibou,
il ne sait donc pas
que le gruffalo n'existe pas !
La petite souris continue
sa promenade dans le bois
très sombre.

Un hibou l'aperçoit du haut de son arbre
et la trouve bien appétissante.
– Où vas-tu, jolie petite souris ? Viens,
je t'invite à prendre le thé dans mon nid !
– Merci infiniment, monsieur le Hibou,
mais je ne peux accepter !
J'ai rendez-vous avec un gruffalo.
– Un gruffalo ? C'est quoi un gruffalo ?
– Comment, vous ne connaissez pas
le gruffalo ! Ses genoux ont des bosses,
ses orteils sont tout crochus, son nez
porte une affreuse verrue !

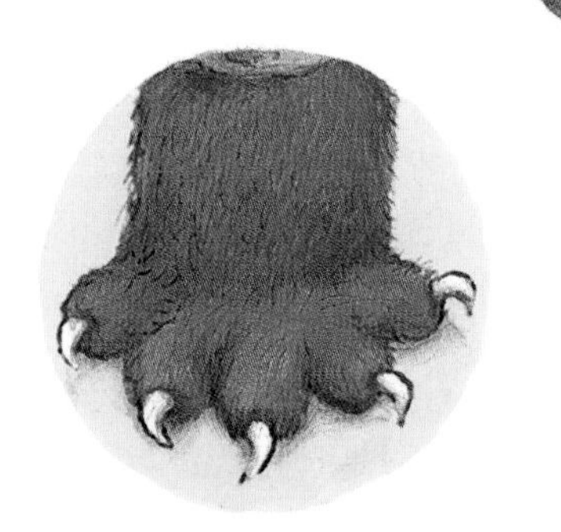

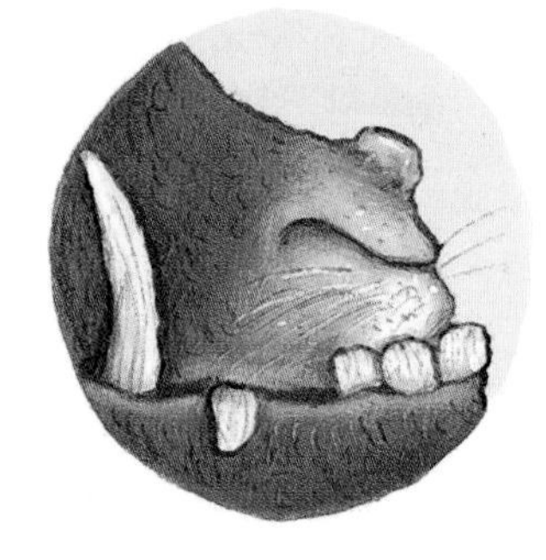

Un serpent l'aperçoit et la trouve
bien appétissante.
– Où vas-tu, jolie petite souris?
Viens, je t'invite à une fête
dans mes appartements!
– Merci infiniment, monsieur
le Serpent, mais je ne peux accepter!
J'ai rendez-vous avec un gruffalo.
– Un gruffalo? C'est quoi un gruffalo?
– Comment, vous ne connaissez pas
le gruffalo! Ses yeux sont orange,

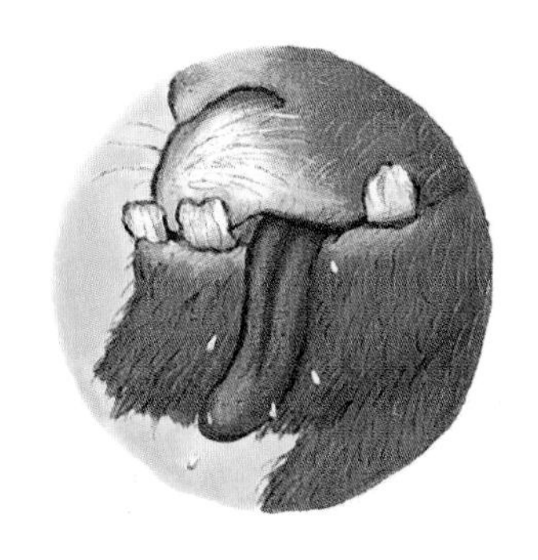

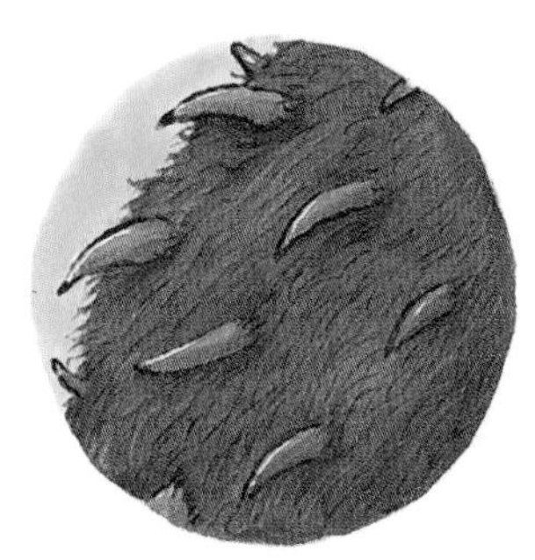

sa langue est toute noire,
son dos est couvert
d'affreux piquants
violets!
– Où avez-vous
rendez-vous?
– Ici, sur la rive.
Et son plat préféré,
c'est le serpent aux olives.
– Le serpent aux olives?
Oh! mais j'y pense,
je suis attendu.
Salut, p'tite souris,
siffle le serpent
avec empressement.
Et il s'enfuit.
– Pauvre vieux serpent,
il ne sait donc pas
que le gruffal...

... Oh !

Quel est ce monstre avec ses crocs impressionnants, ses griffes acérées, ses dents plus coupantes que celles d'un requin ?
Ses genoux ont des bosses, ses orteils sont tout crochus, son nez porte une affreuse verrue, ses yeux sont orange et sa langue toute noire, son dos est couvert d'affreux piquants violets.
– Au secours ! À l'aide ! C'est un gruffalo !

– Une petite souris, mon plat
préféré ! gronde le gruffalo.
Tu seras succulente,
sur un lit d'artichauts !
– Succulente ? dit la souris.
Ne dites plus jamais ce mot !
Je suis la terreur de ces bois.
Suivez-moi, et vous allez voir,
tout le monde tremble
devant moi !
– Parfait, dit le gruffalo,
secoué de rire. Voyons ça !
Passe la première,
je te suis. Ils marchent
un petit moment.

Tout à coup le gruffalo
murmure :
– J'entends siffler dans l'herbe,
par ici.
– C'est un serpent,
dit la petite souris.
Bonjour, mon ami !
Le serpent regarde
du coin de l'œil le gruffalo.
– Oh, ciel ! siffle-t-il.
Salut, p'tite souris.
Et il s'enfuit en rampant
le plus vite possible.
– Vous voyez ? Je vous l'avais
bien dit.
– Stupéfiant ! rétorque
le gruffalo.

Ils reprennent leur marche.
Tout à coup, le gruffalo murmure :
– J'entends un hou-hou
dans les arbres !
– C'est un hibou, dit la petite
souris. Bonjour, mon ami !
Le hibou regarde du coin de l'œil
le gruffalo.
– Mon dieu ! s'écrie-t-il.
Salut, p'tite souris.
Et il s'envole aussi haut qu'il peut.
– Vous voyez ? Je vous l'avais
bien dit.
– Étonnant, remarque le gruffalo.
Ils marchent encore.

Tout à coup, le gruffalo murmure :
– Voilà que j'entends des pas
près d'ici.
– C'est un renard. Bonjour,
mon ami !
Le renard regarde du coin de l'œil
le gruffalo.
– Au secours, glapit-il.
Salut, p'tite souris.
Et il s'engouffre dans son terrier.

– Alors, triomphe la souris, vous voyez?
Tout le monde tremble devant moi.
Et maintenant, j'ai très faim. Et mon plat
préféré, c'est le gruffalo en purée.
– Le gruffalo en purée! Salut, p'tite souris!
Et l'affreuse créature se sauve en courant.

La paix règne dans la forêt très sombre.
La petite souris, assise sur un rocher,
savoure tranquillement une noix délicieuse.

Mimi Artichaut

Quentin Blake

Voici notre amie
Mimi Artichaut.

Nous nous souvenons :

d'un beau matin
ses premiers mots,

de ses trois chats,
très gras, très gros,

de la voix rauque
de son corbeau,

de son cochon
en plein dodo,

de son désastreux
vieux vélo.

Elle aimait quand il faisait chaud
se tremper jusqu'au cou dans l'eau.

Sa cape était
tout en lambeaux,

son fauteuil
était en ormeau,

son poêle avait
un long tuyau...

... qui malheureusement fumait trop.

Incroyable Mimi Artichaut!

Elle aimait bien les jeux de mots.

Elle chantait
avec son banjo.

SUPER...

MIMI...

ARTICHAUT!

Le lion heureux

Louise Fatio ~ Roger Duvoisin

Il était une fois
un lion très heureux.

Il ne vivait pas dans
les plaines d'Afrique,
si dangereuses,
où il faisait si chaud
et où guettaient
des chasseurs armés
de fusils.
Il habitait dans
une jolie petite ville
française, aux toits
de tuiles rouges
et aux volets gris.
Le lion heureux avait
une maison au zoo,
pour lui tout seul,
avec un grand jardin
de rochers entouré
d'un fossé, au milieu
d'un parc avec
des parterres
de fleurs et un
kiosque à musique.

Tous les matins, en partant à l'école, François, le fils du gardien,
s'arrêtait pour lui dire :
– Bonjour, Lion joyeux.

Tous les après-midi, en rentrant chez lui, M. Dupont,
l'instituteur, s'arrêtait pour lui dire :
– Bonjour, Lion joyeux.

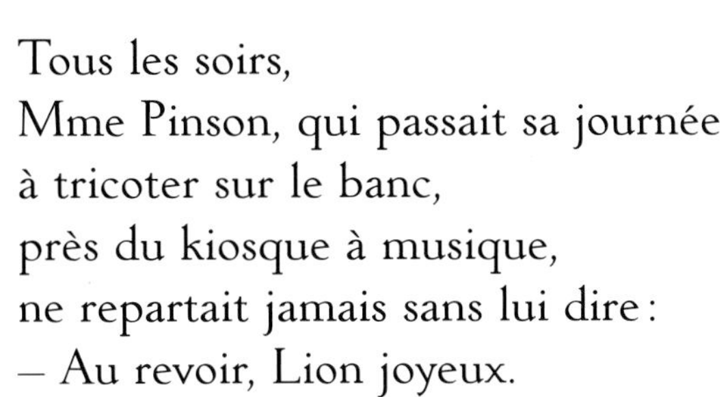

Tous les soirs,
Mme Pinson, qui passait sa journée
à tricoter sur le banc,
près du kiosque à musique,
ne repartait jamais sans lui dire :
– Au revoir, Lion joyeux.

Les dimanches d'été, la fanfare municipale s'installait dans le kiosque à musique
pour jouer des valses et des polkas.
Et le lion heureux fermait les yeux pour écouter. Il adorait la musique.
Tout le monde l'aimait bien, venait lui dire « Bonjour »
et lui offrait de la viande et autres friandises.

Il était vraiment un lion heureux.

Un beau matin, le lion heureux s'aperçut que son gardien
avait oublié de fermer la porte de sa maison.
– Hum, hum..., dit-il. Cela ne me plaît pas trop.
N'importe qui pourrait entrer chez moi.
Oh, et puis après tout, ajouta-t-il,
je vais peut-être sortir et aller voir mes amis en ville.
Ce serait gentil de leur rendre leurs visites.

Alors le lion heureux sortit dans le parc
et dit « Bonjour, mes amis » aux moineaux affairés.
– Bonjour, Lion joyeux, lui répondirent
les moineaux affairés.
Puis il dit « Bonjour, mon ami » à l'écureuil roux
si agile qui croquait une noisette, assis sur sa queue.
– Bonjour, Lion joyeux, répondit l'écureuil roux,
en le regardant à peine.

Puis le lion heureux s'engagea dans la rue pavée au coin de laquelle il croisa M. Dupont.
– Bonjour, dit-il, avec un petit signe de tête comme tout lion bien élevé.
– Oooooohhh..., répondit M. Dupont avant de s'évanouir sur le trottoir.
– Quelle drôle de manière de dire bonjour, remarqua le lion heureux qui poursuivit sa route sur ses grosses pattes molletonnées.
– Bonjour, Mesdames, dit un peu plus loin le lion en croisant trois dames qu'il avait déjà vues au zoo.
– Hououououoou..., s'écrièrent les trois dames en s'enfuyant à toutes jambes comme si elles étaient poursuivies par un ogre.
– Je ne comprends pas du tout ce qui leur arrive, dit le lion heureux. Elles sont tellement polies au zoo.

– Bonjour, Madame, dit le lion heureux avec un petit signe de tête
en rencontrant Mme Pinson près de l'épicerie.
– Oh, là, là! s'écria Mme Pinson, en lançant à la tête du lion son panier
rempli de légumes.
– Aaaaatchoummmm! éternua le lion. Décidément, les gens de cette ville
sont complètement idiots.
Alors le lion entendit les joyeux éclats d'une musique militaire.
Il tourna au coin de la rue et découvrit la fanfare qui défilait parmi les habitants.
Ratatatoum ratatata boum boum.
Avant même que le lion ait eu le temps de faire un petit signe de tête et de dire
« Bonjour », la musique se transforma en cris et en hurlements.
Quel charivari!
Les musiciens et les spectateurs trébuchaient les uns sur les autres dans leur course
éperdue vers les porches des maisons et les cafés.
Bientôt il n'y eut plus personne dans la rue silencieuse.
Le lion s'assit pour réfléchir.
– Je suppose, dit-il, que c'est ainsi que se conduisent les gens
quand ils ne sont pas au zoo.

Puis il se leva et reprit sa route en quête d'un ami qui ne s'évanouirait pas,
ni ne hurlerait, ni ne s'enfuirait en courant.
Mais les seules personnes qu'il vit le montraient
du doigt avec agitation des fenêtres et des balcons.
Mais quel était ce nouveau bruit
qu'entendait le lion?
Piiiiinnnn... Poooonnn... Piiiinnn... Poooonnnn...
PIIIINNNNN... POOOONNNN,
de plus en plus fort.

– C'est peut-être le vent, dit le lion. Ou alors les singes du zoo qui sont tous partis en balade. Quand, soudain, la grosse voiture de pompiers surgit d'une petite rue et vint s'arrêter pas très, très loin du lion.
Puis un gros camion arriva en marche arrière sur sa gauche, les portes grandes ouvertes. Le lion s'assit bien sagement, car il ne voulait surtout pas manquer le spectacle.

Les pompiers descendirent de leur voiture et s'approchèrent très, très doucement du lion, déroulant leur grand tuyau à chaque pas.

Ils avançaient très, très lentement, approchaient, tout près, encore plus près... tandis que le tuyau les suivait tel un gros serpent, de plus en plus long...

TOUT À COUP, derrière le lion,
une petite voix s'écria :

Et il ne sut jamais ce qu'ils allaient faire car François plongea la main dans la belle crinière du lion et lui dit :
– Nous allons rentrer ensemble au parc.
– D'accord, ronronna le lion heureux.

– Bonjour, Lion joyeux !
C'était François, le fils du gardien, qui rentrait de l'école !
Il avait vu le lion et s'était dépêché de le rejoindre.
Le lion heureux était tellement heureux de rencontrer quelqu'un qui ne s'enfuyait pas en le voyant et lui disait « Bonjour » qu'il en oublia les pompiers.

Alors François et le lion heureux rentrèrent tous les deux au zoo. Les pompiers les suivirent dans leur grosse voiture rouge, et les gens aux fenêtres et aux balcons lui crièrent enfin :
– BONJOUR, LION JOYEUX !

À dater de ce jour, toute la ville apporta au lion heureux des tas de morceaux de choix à déguster. Mais, si jamais un jour il trouvait sa porte ouverte, il ne se risquait pour rien au monde à l'extérieur. Il était très heureux de rester dans son jardin de rochers pendant que, de l'autre côté du fossé M. Dupont, Mme Pinson et tous ses vieux amis venaient lui rendre visite et lui disaient fort poliment :
– Bonjour, Lion joyeux.
Mais c'est quand il voyait François traverser le parc tous les après-midi en rentrant de l'école qu'il était le plus heureux des lions.
Alors, il agitait la queue avec joie, car François demeura son meilleur ami pour toujours.

Zabeth la chouette

Antoon Krings

Affreusement timide, César rêvait
souvent en secret d'être la plus grande,
la plus forte, la plus inquiétante
et la plus... terrible créature du jardin,
une grosse bête sautant et grondant
au milieu d'une foule de petites bêtes
surexcitées qui dansaient à ses pieds
comme autant de feux follets
et hurlaient de joie :
– Par la fée Carabosse, la vilaine,
la féroce, que les citrouilles
se carrossent, que les balais se brossent,
désormais c'est lui le Boss !

César s'abandonnait tout heureux à son rêve
quand soudain, dans le jardin profondément
endormi, un cri strident, sauvage, retentit et
le fit trembler de tous ses membres. Effroyable
présage, pensez-vous, mais plus effroyable
encore fut l'instant suivant où, à la défaveur
d'un rayon de lune, il aperçut, collé à sa fenêtre,
une face ronde avec un nez crochu comme
un bec et deux yeux brillants qui lançaient
des éclairs, deux grands yeux jaunes dont
le regard tomba droit sur lui et ne le quitta
plus. Ainsi hypnotisé, César avança lentement
vers Zabeth la chouette.
– Belle Zabeth, auguste oiseau des ténèbres,
marmonna-t-il, j'obéis à ta voix impérieuse.

Alors, d'une voix lugubre, roulant des yeux terribles, la sorcière prononça quelques mots sulfureux et, dans un nuage de fumée âcre, transforma le lézard en charmant dragon ailé. Une fois la fumée dissipée, Zabeth contempla son travail.
– Eh bien, cria-t-elle, qu'as-tu à rester planté là comme un gros crapaud! Tu as perdu ta langue?
– Oh marraine, bonne fée, balbutia César émerveillé, la... la taille est parfaite.
– Bien, dit la sorcière, radoucie. Et tes ailes? Comment tu les trouves?
– Oh, des vraies ailes de dragon! s'écria César en regardant par-dessus son épaule. Et il les agita pour mieux montrer son contentement.
– Bon, voyons la couleur maintenant. Tu ne la trouves pas un peu trop... criarde?
– Oh non, pas trop, répondit César, très intrigué de sentir sur le bout de sa langue un curieux goût de brûlé.
– Diable, mais je flambe, marraine!
– Bien sûr que tu flambes, dragon, et tu craches même le feu!
– Ouaaah! Ouaaah!
– Allons, allons, continua Zabeth, un peu échauffée. Pour les écailles argentées, les cornes et la queue fourchue, c'est en option.
– Mais un dragon, ça a des cornes, marraine!
– Taratata, en option j'ai dit. Et cesse de m'appeler marraine ou bonne fée, ça commence à m'horripiler.
– De toutes petites cornes de rien du tout...
– Et puis crotte! s'écria la sorcière. On va pas y passer la nuit. Tiens, les voilà, tes cornes!
– Ah, c'est mieux comme ça! s'exclama César en pointant fièrement vers Zabeth ses nouveaux attributs. C'est même parfait.

Et soudain, pris d'un élan de tendresse,
il se jeta au cou de la sorcière et lui fit
un baiser, un baiser brûlant bien sûr.
Puis il se mit à sauter et à bondir
d'un bout à l'autre du jardin en faisant
un horrible vacarme.
Zabeth, qui partageait visiblement
son excitation, le suivit toute la nuit
durant en poussant des cris perçants.
Mais, dès les premières lueurs du jour,
la chouette vola sagement vers son arbre
et, d'une voix chargée de sommeil,
souhaita bonne nuit à la compagnie.
César ne s'en aperçut même pas,
tellement il était fier de parader
en dragon ailé dans les allées du jardin.
« Ouaaah ! Ouaaah ! La tête
qu'ils vont faire », pensait-il.

En effet, je ne vous dis pas la tête que
firent les petites bêtes en découvrant
ce matin-là un monstre dans leur jardin.
La première à en faire les frais fut
la plus matinale d'entre elles :
Mireille l'abeille.
La butineuse s'apprêtait à faire
sa récolte de pollen quand soudain
une voix étrange, accompagnée
d'un mystérieux mâchonnement,
la fit tressauter :
– Scrrrr ! Scrrrr ! Hum...
délicieuses ces roses, vraiment très
rafraîchissantes avec cette légère rosée
et... hum... avec les piquants,
ça relève bien le goût.
Après quelques secondes de stupeur,
l'abeille se mit à pousser de grands cris,
puis, prise de panique devant le dragon
ahuri, elle fila à tire-d'aile chez
son voisin le plus proche : Benjamin.

... Allez, oublie tout ça et viens plutôt
m'aider à allumer le « barbe-cul »,
nous allons faire griller des marrons.
Et, sans plus attendre, il se mit
à souffler sur son feu.
– Agite les ailes, Mireille, plus fort,
encore plus fort... Tu vois bien
qu'il ne veut pas prendre, le bougre.
C'est alors que le dragon cracheur de feu,
qui brûlait d'envie de faire son numéro,
poussa l'abeille d'un coup de queue.
– Vous désirez du feu ? lança-t-il.
Et, en moins de temps qu'il n'en faut
pour le dire, le « barbe-cul » s'embrasa.

– Mais puisque je te le dis, Benjamin !
Je l'ai vu de mes propres yeux, là, ici,
dans le jardin, dans notre jardin...
Un monstre... un ÉNORME monstre,
grand comme un dragon, hideux et tout
vert, dévorant mes roses à pleines dents.
– Allons, allons, voyons, Mireille,
les dragons, ça n'existe
que dans les contes de fées.
– Tout comme les lutins, rétorqua
l'abeille furieuse.
Faisant mine de ne pas comprendre,
le vieux bonhomme étreignit sa barbe
blanche et réfléchit...
– Tu veux que je te dise, Mireille,
eh bien je pense que ce sont les pucerons
qui te font du mouron. Je ne sais pas
ce qu'ils ont cette année, mais ils sont
particulièrement gros et voraces...

Et, en moins de temps qu'il n'en faut pour l'écrire, ce fut la panique, la débandade :
– Au secours ! À l'aide ! Au feu ! Un dragon, un terrible dragon !
Le terrible dragon eut beau leur courir après en criant : « N'ayez pas peur ! Ce n'est que moi : César ! », les volets claquèrent, les portes se verrouillèrent et il se retrouva bientôt tout seul au milieu du jardin.

Alors, terriblement désenchanté et ne sachant plus quoi faire, le pauvre César appela la sorcière dans son arbre.
– Madame la chouette, madame la chouette, réveillez-vous !
Zabeth ouvrit lentement un œil sur le dragon :
– Qu'est-ce que c'est encore ?
– C'est que... balbutia César embarrassé, je ne me sens pas très bien dans ma peau. À vrai dire, marraine, je me préférais en lézard.
Médusée, la chouette faillit tomber de sa branche.
– Quoi ? Mais qu'est-ce que tu me racontes là ? Tu es magnifique en dragon !
– Oh oui, bien sûr, marraine, mais on ne peut pas plaire à tout le monde. Et puis un dragon, ça n'a pas sa place dans le jardin, ça n'a rien à faire dans un jardin.

La chouette, qui voulait dormir,
ne chercha pas à en savoir davantage :
– Eh bien, tant pis pour toi, lui dit-elle,
si tu le désires tellement, retourne
à ta pauvre petite vie d'avant.
Et, en un clin d'œil, César redevint
le lézard que tout le monde connaissait,
mais que personne ne s'attendait à voir,
un jour comme celui-ci, sauter de joie
dans le jardin.
– Qu'est-ce que tu fais là ? chuchota
soudain une petite voix effrayée.
Sauve-toi vite ! Le dragon va te...
– Le dragon, dit César en riant,
il est parti et il ne reviendra plus.
Je l'ai envoyé là-bas, très loin,
dans le jardin d'à côté.

À peine avait-il annoncé cette bonne
nouvelle qu'on entendit de l'autre côté
du jardin une voix tonitruante :
– Oh, le monstre ! Regardez dans quel état
il a mis mes fleurs... Et je t'ai déjà dit
cent fois de ne pas jouer avec
les allumettes. Allez, rentre à la maison
et file dans ta chambre !
Alors, une à une, les petites bêtes
sortirent de leurs cachettes en chantant
joyeusement :
– Il est puni ! Bien fait pour lui !
Zabeth, qui n'avait pas fermé l'œil
de la journée, commençait à être fatiguée
par tout ce remue-ménage.
– Les histoires de sorcellerie, de dragons,
ce n'est vraiment plus de mon âge.
Je ne suis qu'une vieille chouette, dit-elle
en volant vers la forêt. Il serait plus sage
que je ne sorte pas cette nuit... à moins
que j'aille chasser une ou deux souris.

Le livre du dodo

Judy Hindley ~ Tor Freeman

Quand tu bâilles, que ta tête dodeline,
que tu tombes de sommeil,
où vas-tu faire dodo,
une petite sieste, un petit somme ?
Où préfères-tu dormir ?

Le lapin dort tranquillement au fond de son terrier ; l'oiseau se blottit dans son nid.
La grenouille fait un petit somme dans la vase de la mare ; la rose est le lit de l'abeille.

Crois-tu que tu pourrais dormir dans une rose, ou faire un somme dans la mare, comme la grenouille ?

Le chat aime dormir sur un chapeau ;
l'ours se pelotonne au fond de sa caverne.
Le poisson rêve au milieu des algues
de la rivière ; le phoque somnole,
bercé par une vague...

Imagines-tu tous les rêves que tu ferais si tu étais bercé par une vague ?

Le martinet peut dormir
sur son aile tout en volant ;
les chauves-souris dorment la tête
en bas, pendues par les pieds
sous les toits, au grenier.
le cheval dort debout sur ses sabots ;

Si tu étais une chauve-souris, tu dormirais sous les toits, la tête en bas.

Le petit chien aime bien dormir entassé
avec tous ses frères et sœurs.
Les bébés kangourous dorment dans
des poches sur le ventre de leur maman.

Et toi ? Que préfères-tu ?
Où vas-tu faire dodo, une petite sieste, un petit somme ?
Dans un nid de coussins, une caverne de couvertures, un tas d'oreillers...

... un petit lit à barreaux, une poussette, un hamac,
un canapé, un tapis, un carton, des bras accueillants ?

Ou préférerais-tu ton petit lit à toi, avec ta petite couverture
et ton petit oreiller, avec des bisous, des histoires, des peluches,
des jouets et quelqu'un pour te border?
Oh, oui...
nous avons tous un endroit préféré pour dormir...

Les couleurs de la pluie

Jeanette Winter

Je voudrais peindre une maison, comme Maman. J'ai des images plein la tête.
Quand pourrai-je peindre un mur, Maman?
Quand la pluie aura effacé mes dessins, tu pourras peindre la maison, Elsina.

Sous le ciel bleu de l'hiver, Papa ajoute une pièce à la maison pour le bébé que porte Maman dans son ventre.
Tu vas peindre les murs, Elsina : les ancêtres t'entendront peut-être.

Je peins quand le soleil apparaît derrière la montagne. Je peins quand le soleil est haut dans le bleu du ciel. Je peins jusqu'à ce que je ne distingue plus les couleurs.

Je vois des images
dans mon sommeil.
Je vois les montagnes au loin.
Je vois le sorgho si doux.
Je vois la toile d'araignée
dans le coin.

Et je vois mes nuages,
mes nuages blancs
et mes nuages noirs
chargés de pluie.

J'ai fini de peindre les murs.

Tous les jours, je regarde le ciel : j'espère que les ancêtres m'entendront.

Mais, pendant des semaines, je ne vois que du BLEU.

Et puis, un beau matin, je vois de petits nuages blancs et ensuite... de gros nuages noirs.

Le tonnerre éclate à mes oreilles tandis que les nuages noirs cachent le soleil et le bleu du ciel.

Plop ! Une goutte
me tombe sur la tête.
Plop ! Une goutte me tombe sur le nez.
Et... PATATRAS !...
la pluie tombe à verse sur mes murs.

La pluie arrose le champ de Maman.
Les ancêtres t'ont entendue, Elsina.

Jour après jour, les nuages noirs déversent la pluie.
Les murs pâlissent.

Et, une nuit, les nuages se dispersent et s'en vont.
Au lever du soleil, le ciel est de nouveau tout bleu.

Les pluies ont effacé nos dessins, Maman. Je peux peindre toute la maison maintenant ?
Les ancêtres t'ont entendue, Elsina. Oui, peins tous les murs.

Dans le champ de Maman, le sorgho est en fleur. Les chèvres de Papa grossissent. Mon frère vient au monde. Et je peins.

Tout l'hiver, le ciel reste bleu.

Nous attendons.

Les ancêtres nous écoutent.

Bienvenue Tigrou !

Charlotte Voake

Il était une fois un petit chat tigré
qui vivait dans les touffes
de mauvaises herbes au fond d'un jardin.
Ses oreilles étaient noires de poussière.
Il était très maigre. Il avait le poil hirsute.
Sa queue ressemblait à un bout
de FICELLE !

Il buvait dans les flaques d'eau
et fouillait dans les poubelles
pour se nourrir.

Chaque matin,
il s'en allait chercher à manger.
Et, chaque soir,
il revenait dormir au milieu
des mauvaises herbes.

Un beau jour, tout changea
pour le petit chat.
Il n'avait trouvé qu'un petit morceau
de pain à manger.
Il avait froid et faim en allant se coucher.

Soudain, il s'arrêta net. Là, devant lui, il y avait...
... une délicieuse assiette de pâtée pour chat!
Il n'en croyait pas ses yeux! Il nettoya l'assiette
jusqu'à la dernière miette, puis il alla se coucher.
Il n'avait jamais aussi bien dormi!

Le lendemain soir, une autre assiette l'attendait.
MAIS CE N'ÉTAIT PAS TOUT.
Une petite fille l'attendait aussi !
– Bonjour, lui dit-elle.

Elle essaya de le caresser,
mais il prit peur
et courut se cacher
dans les mauvaises herbes.
– À demain,
dit la petite fille.

Elle revint le voir tous les jours.
Chaque fois, elle lui apportait
un bon petit plat.
Elle l'appela Tigrou.

Bientôt, Tigrou se mit à guetter
l'arrivée de la petite fille.
Il venait dès qu'elle l'appelait,
et ronronnait quand elle le caressait.
La petite fille aimait beaucoup Tigrou.
– Tu ne peux pas rester ici,
lui dit-elle. Pourquoi ne viendrais-tu
pas chez moi ?

Tigrou suivit la petite fille
jusque chez elle.
Il n'était encore jamais entré
dans une maison.
Il inspecta tous les coins
et regarda sous tous les meubles.
Mais il était tellement
craintif, le pauvre,...

... que, lorsque la petite fille voulut
fermer la porte, il fila comme une flèche
et disparut dans le jardin.

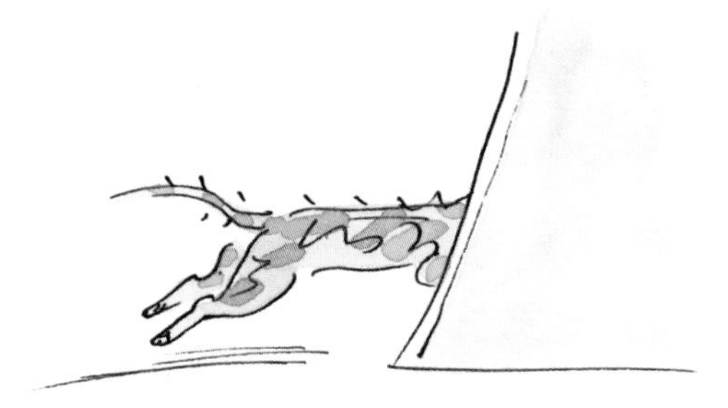

La petite fille regarda dehors
mais elle ne le vit nulle part.
– Tigrou ! cria-t-elle.
Mais aucun signe de Tigrou.

« Je lui ai fait peur, se dit-elle.
Il ne veut pas vivre chez moi. »
La petite fille était désolée.
Elle était tellement triste...
... qu'elle ne vit pas Tigrou se faufiler
à l'intérieur de la maison.
– Miaou ! fit Tigrou.

– TIGROU !
s'écria la petite fille.

Depuis, Tigrou vit dans la maison
de la petite fille. Il est très heureux.
De temps en temps, il retourne dans les touffes
de mauvaises herbes au fond du jardin mais...

...juste pour prendre **un bain de soleil !**

Je ne veux pas aller au lit !

Tony Ross

– Pourquoi faut-il que j'aille au lit
alors que je ne suis pas fatiguée,
et que je me lève quand je le suis ?
disait la petite princesse.

– Je ne VEUX pas aller au lit !

– C'est bon pour toi, dit le docteur
en la portant dans sa chambre.
Et c'est encore mieux de dormir.

Mais la petite princesse redescendit
immédiatement.
– JE NE VEUX PAS ALLER AU LIT !

– JE VEUX UN VERRE D'EAU !

– Tiens, voilà, dit la reine.
Et maintenant, dodo.

– PAPAAAAAAAA !

– Tu ne veux pas un deuxième verre d'eau ? demanda le roi.
– Non, répondit la petite princesse, c'est Nounours qui en veut un.

– Bonne nuit, dit le roi.
Dodo, maintenant, Nounours.
– Ne pars pas! dit la petite princesse.
Il y a un monstre dans la penderie.

– Les monstres n'existent pas,
et il n'y en a pas dans la penderie,
dit le roi en fermant la porte
de la chambre.

– Papa! cria la petite princesse.
– Qu'y a-t-il encore? demanda le roi.
Ne me dis pas que tu as encore peur
des monstres!

– Bien sûr que non,
répondit la petite princesse.
C'est Nounours.
Il dit qu'il y en a un sous le lit.

– Non, il n'y en a pas, dit le roi en quittant la chambre sur la pointe des pieds. Les monstres n'existent pas.

– Arrêtez-la ! hurla la reine. Elle s'est échappée.
– JE NE VEUX PAS ALLER AU LIT ! dit la petite princesse.

– Pourquoi ? demanda la reine.
– Il y a une araignée au-dessus de mon lit...
... Avec des pattes poilues.

– Les jambes de Papa sont poilues aussi, et il n'est pas méchant, dit la reine.

Finalement, la petite princesse
se mit au lit.

Plus tard, quand le roi entra pour lui
dire bonsoir, son lit était vide.

Tout le monde se mit à sa recherche...

... inspectant tout de fond en comble,
jusqu'à ce que...

– La voilà ! s'écria la gouvernante. Elle protège Nounours et le chat des araignées et des monstres.

Le lendemain matin, la petite princesse se leva en bâillant à se décrocher la mâchoire.
– Je suis fatiguée, dit-elle...

Je veux aller au lit.

Si la lune pouvait parler

KATE BANKS ~ GEORG HALLENSLEBEN

Une paire de chaussures sous une chaise. Une fenêtre grande ouverte.
Une dernière lueur sur le mur. Si la lune pouvait parler...

elle raconterait le soir qui se glisse dans la forêt et le lézard
qui se dépêche de rentrer dîner chez lui.

Quelqu'un chantonne doucement. Un réveil fait tic tac.
Une lampe s'allume. Si la lune pouvait parler...

elle raconterait les étoiles qui apparaissent une à une dans le ciel et le feu qui flambe près de l'arbre.

Le papa ouvre un livre. Il tourne les pages : une histoire s'en échappe, comme une oriflamme déployée dans le vent. Si la lune pouvait parler...

elle raconterait le vent de sable qui souffle sur le désert et les nomades qui s'abritent derrière une dune.

Sur une table de nuit, il y a un verre, un bateau en bois,
et aussi une étoile de mer. Si la lune pouvait parler...

elle raconterait les vagues qui déferlent sur la plage,
les coquillages, et le crabe qui somnole.

Sur une étagère, une petite musique s'élève d'une boîte. Un mobile tourne lentement. Dans un fauteuil, un lapin écoute. Si la lune pouvait parler...

elle raconterait le vent qui berce la cime de l'arbre et l'oiseau à l'abri dans le nid.

Maman tend le lapin à son enfant. Elle l'embrasse et lui remonte les couvertures jusqu'au menton. Si la lune pouvait parler...

elle raconterait la tanière, dans un pays lointain, et la lionne qui lèche ses petits.

Les yeux se ferment. Les ailes du silence s'ouvrent dans un souffle.
La nuit noire n'est plus qu'un rêve multicolore. Et si la lune pouvait parler...

elle raconterait l'enfant qui dort à poings fermés dans le lit douillet.

Et, tout bas, elle lui chuchoterait :

– Bonne nuit...

Tu ne peux pas m'attraper !

Michael Foreman

– Bonne nuit, Petit Singe, dit Maman.
Fais de beaux rêves.
– Non, il est trop tôt pour dormir,
répondit Petit Singe...

Tu ne peux pas m'attraper !

GRRRRRR!
GARRRROUUUU!
Nous allons t'attraper et te...
Vous ne pouvez pas m'attraper!

HRRRRUMF!
HARRROUUUU!
Nous allons t'attraper et te...
Vous ne pouvez pas m'attraper!

OUALLUMF, OUALLUMF,
OUALLUMF,
OUALLOUUUUU!
Nous allons t'attraper et te...
Vous ne pouvez pas m'attraper !

CRICMIAM!
CRACMIAM!
CROCMIAM!
Nous allons t'attraper et te...
Vous ne pouvez pas m'attraper !

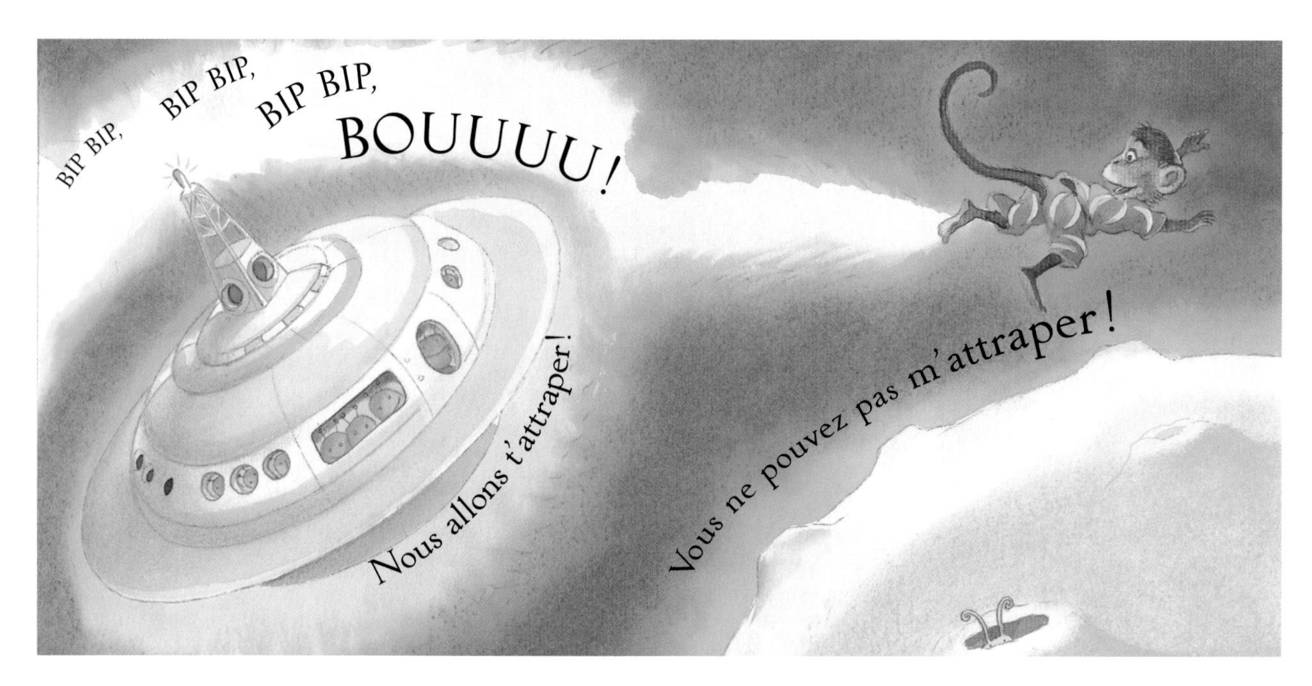
BIP BIP,
BIP BIP,
BIP BIP,
BOUUUU !
Nous allons t'attraper !
Vous ne pouvez pas m'attraper !

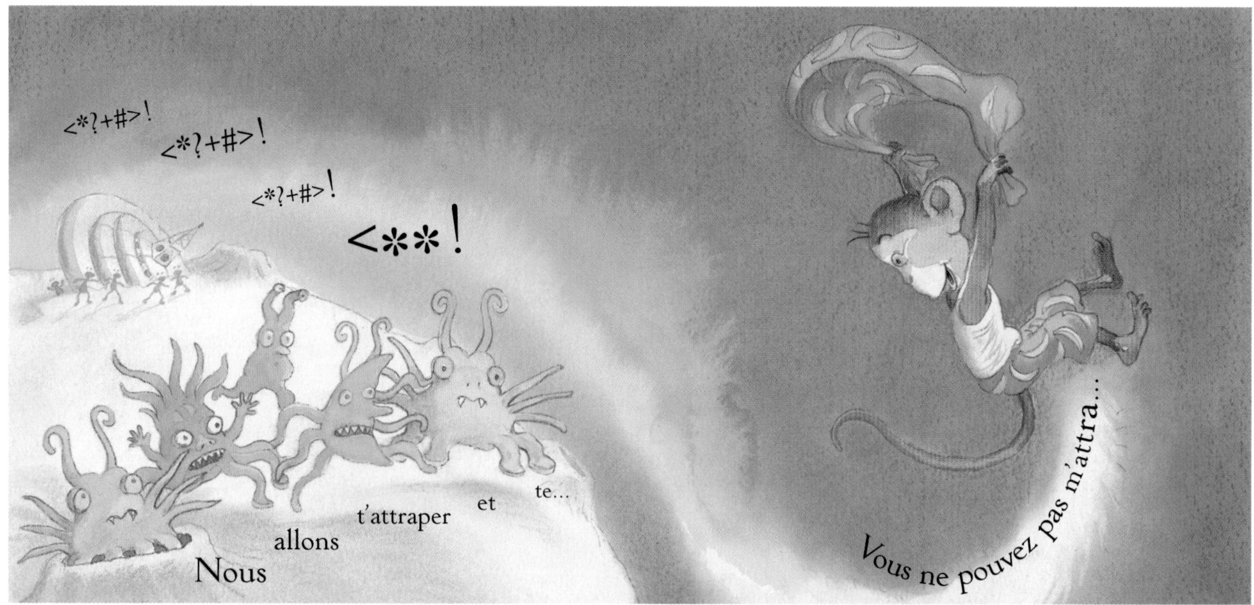
<*?+#> !
<*?+#> !
<*?+#> !
<** !
Nous allons t'attraper et te...
Vous ne pouvez pas m'attra...

... peeeeeeeer !

YOUHOU ! YOUHOU !
Nous allons t'attraper et te...

... CHATOUILLER !!!
GUILI-GUILI !
GUILI-GUILI !
GUILI-GUILI !
GUILI-GUILI !
GUILI-GUILI !

GUILI-GUILI!
GUILI-GUILI!
GUILI-GUILI!
GUILI-GUILI!
GUILI-GUILI!
GUILI-GUILI!
GUILI-GUILI!
Hi,
hi,
hi...
GUILI-GUILI!
GUILI-GUILI!
GUILI-GUILI!
GUILI-GUILI!
GUILI-GUILI!

VOUS NE POUVEZ PAS...

– Allez, viens, Petit Singe,
au lit maintenant...

Bonne nuit, dors bien.
Fais de beaux rêves.

Meg et Mog

HELEN NICOLL ~ JAN PIEŃKOWSKI

Mog, son chat
à rayures, couchait
dans la cuisine.
Il dormait comme un loir.

Elle descendit
l'escalier
pour préparer
le petit déjeuner.

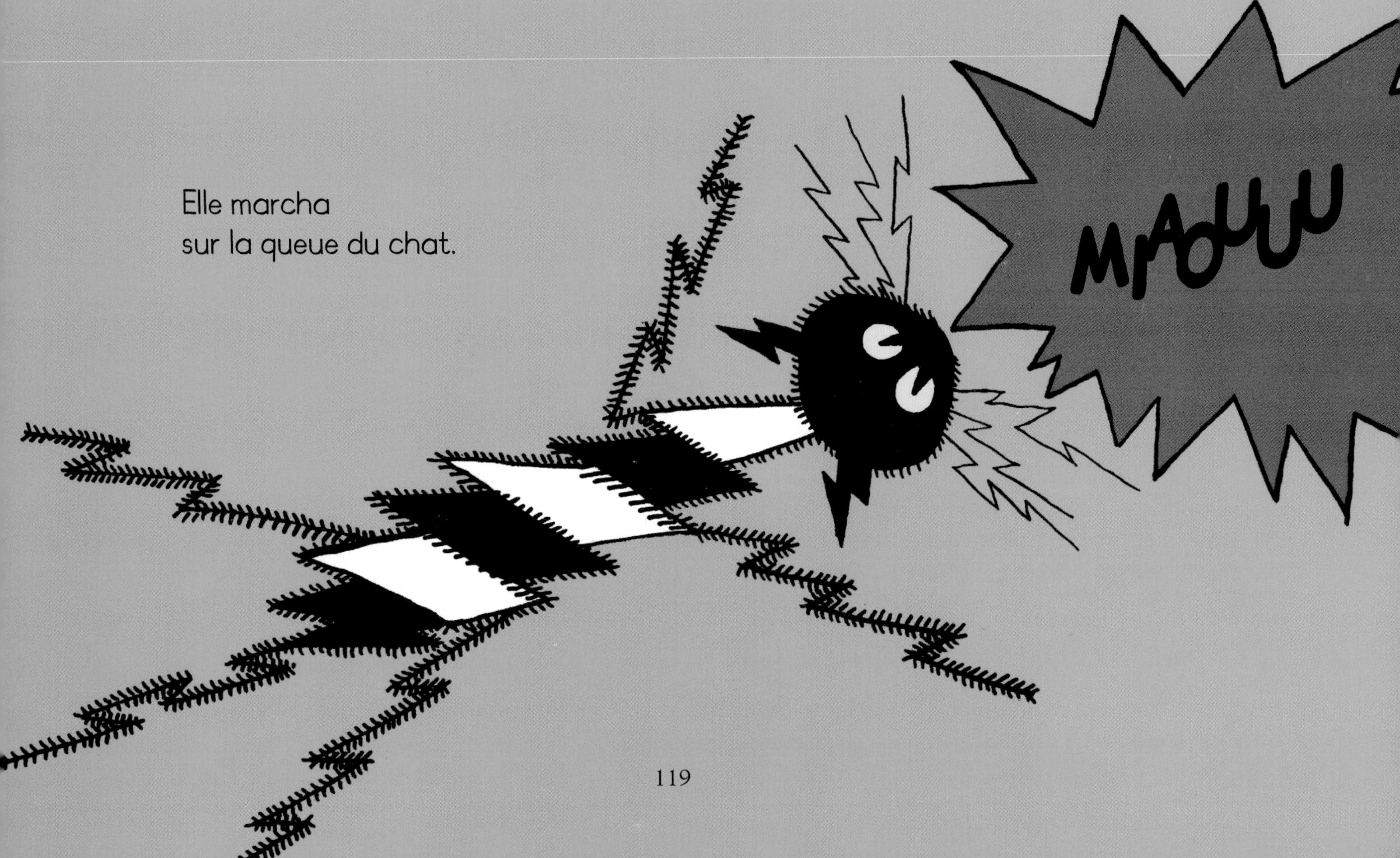

Elle marcha
sur la queue du chat.

Tout le monde eut un bon petit déjeuner.

À une heure
du matin,
elle saisit
son balai,
son chaudron
et une
araignée,

et
s'envola
avec
Mog
par
la
cheminée.

Là-haut dans le ciel, elle retrouva ses amies qui allaient à la fête.

Jess

Bess

Tess

et

Cress

Elles se posèrent sur une colline, au clair de lune, pour concocter leur potion magique. Chacune d'elles avait apporté quelque chose à mettre dans le chaudron.

Voici ce qu'elles y plongèrent :

ABRACADABRA

Cafard des couloirs
Araignée des baignoires
Craque pète claque
Vous allez voir
Ce que vous allez voir !

Elles remuèrent ensemble
le chaudron en marmonnant
leur formule magique.

Il y eut
un éclair suivi
d'un gros bruit.

Ça n'avait
pas marché.

Bess, Jess, Tess et Cress
s'étaient transformées
en souris et Mog
leur courait après.

Bonne nuit, petit dinosaure !

JANE YOLEN ~ MARK TEAGUE

Comment un dinosaure
dit-il bonsoir à Papa
qui vient éteindre
la lumière ?

Fait-il claquer sa queue en boudant ?

Jette-t-il son nounours à travers la chambre ?

Tape-t-il du pied
par terre en criant
« je veux encore
une histoire ! » ?

UN DINOSAURE HURLE-T-IL ?

Comment un dinosaure dit-il bonsoir à Maman
qui vient éteindre la lumière ?

Secoue-t-il la tête d'un côté et de l'autre ?

Se relève-t-il en réclamant une promenade sur son dos ?

Est-ce qu'il se lamente,
gémit, fait la tête
et soupire ?

Est-ce qu'il se vautre sur son lit en pleurant ?

Non, les dinosaures ne font pas ça. Ils n'essaient même pas.
Ils font un gros baiser.

Ils éteignent la lumière. Ils replient leur queue. Ils murmurent :
– Bonne nuit !

Ils font un câlin, et encore un dernier baiser.

Bonne nuit. Bonne nuit, petit dinosaure !

Tous les soirs du monde

Dominique Demers ~ Nicolas Debon

C'est l'heure.

Simon fait la grimace. Il enfile son pyjama, démêle ses cheveux,
boit un grand verre de lait, se débarbouille de la tête aux pieds
et se brosse soigneusement les dents.

Puis, il monte l'escalier,
tape son oreiller,
pousse ses couvertures
et plonge dans son lit.

Alors seulement, Simon crie :
– PAAA PAAA !!!
Tous les soirs du monde, c'est pareil.

Tous les soirs du monde, le papa de Simon
monte l'escalier, il s'installe à côté de son fils
et se prépare à endormir la planète.
Sinon, Simon refuse de fermer les yeux.

Le papa de Simon commence par l'Afrique.
Il remonte un peu les couvertures,
étend ses grandes mains,
les pose sur les pieds de son fils
et lance la formule magique
qui endort les savanes et les jungles.

Dans sa tête, Simon voit.

Alors, tous les lions, les éléphants, les zèbres, les rhinocéros, les girafes, les gazelles, les panthères et aussi toutes les bêtes grandes et petites, de toutes les brousses des tropiques, filent sous la lune. Ils foncent vers leurs refuges, leurs antres, leurs tanières. Ils courent se blottir dans les bras de la nuit.

– C'est fait, mon grand, dit le papa de Simon.
L'Afrique dort.
Simon bâille un peu en attendant la suite.

Alors, le papa de Simon remonte encore un peu les couvertures, étend ses grandes mains, les pose sur les genoux de son fils et lance la formule magique qui endort les mers. Il commence loin là-bas, dans les Antilles.

Dans sa tête, Simon voit.

Alors, les poissons volants, les dauphins, les raies géantes, les poissons-lunes, les tortues et les sirènes amorcent un dernier ballet, une ode aux étoiles avant de se glisser dans les replis des fonds marins.

– C'est fait, mon grand, dit le papa de Simon. Les mers sommeillent. Simon bat des paupières en attendant la suite. Alors, le papa de Simon remonte encore un peu les couvertures, étend ses grandes mains, les pose sur le ventre de son fils et lance la formule magique qui endort les déserts blancs, les toundras glacées et tous les pays du froid. Il commence par l'île d'Ellesmere parce que le nom est joli.

Dans sa tête, Simon voit.

Les phoques reniflent une dernière fois l'air glacé. Les ourses rassemblent leurs petits. Et les renards bondissent sur la neige givrée.
Le grand voile de la nuit enveloppe les pays du soleil de minuit.

– C'est fait, mon grand, dit le papa de Simon.
L'Arctique sommeille.
Simon s'étire un peu en attendant la suite.

Alors, le papa de Simon remonte
encore un peu les couvertures,
étend ses grandes mains, les pose
sur les épaules de son fils et lance
la formule magique qui endort les cieux.
Il commence quelque part en Amérique.

Dans sa tête, Simon voit.

L'aigle trace son dernier cercle. Les huards lancent leur plus bel appel. Le pélican dépose quelques provisions dans des gosiers affamés. Et puis, soudain, plus rien. Le ciel est désert. Tous les oiseaux du monde somnolent sous leurs ailes.

– C'est fait, mon grand, dit le papa de Simon.
Le ciel tout entier se repose.
Tu peux dormir maintenant.
Simon soupire et ferme les yeux.
Son papa se lève pour partir.
Mais, au dernier moment,
Simon crie :
– Non ! Tu n'as pas fini.
Le papa de Simon sourit.
Son fils a raison. Il reste un vaste pays.

Alors, le papa de Simon
tire jusqu'au bout les couvertures,
étend encore ses grandes mains,
les pose doucement
sur la tête de son fils
et lance la formule magique
qui endort les sorciers
et réveille les fées.

Dans sa tête, Simon voit.

Les lutins bondissent d'entre les rochers, les fées secouent leurs longues chevelures dorées, les magiciens éparpillent de la poussière d'étoile et des poudres d'aurore boréale. Les puissances merveilleuses ont pris la relève. Tant que veillent les fées, rien de mauvais ne peut arriver.

– C'est fait, mon grand, murmure le papa de Simon.
Tu n'as plus rien à craindre maintenant.

Simon ne bouge pas. Il dort déjà.

Alors, le papa de Simon sourit.
Son fils a raison.
C'est l'heure d'aller au lit.

Tous les soirs
du monde, c'est ainsi.

Le yoga des petits pour bien dormir

Rebecca Whitford ~ Martina Selway

Petit yogi . .
s'étire pour sentir
l'air de la nuit comme un
sniff
sniff
renard.

Petit yogi . .
vole
r r r
r
r
r r r r r
sur un nuage
au milieu des étoiles :
« ron-pff ».

Crédits

Merci aux auteurs et illustrateurs qui ont eu l'obligeance de nous accorder l'autorisation de reproduire leur œuvre dans cette anthologie. Leur confiance nous honore et leur participation nous est précieuse.

Tom Chaton, de Beatrix Potter. Reproduit avec l'autorisation de Frederick Warne & Co., Ltd. Titre original : *The Tale of Tom Kitten* © Frederick Warne & Co., Ltd, 1907, 2002. © Gallimard Jeunesse 1980, pour la traduction française. Frederick Warne & Co est le propriétaire des droits, copyrights et marques du nom et des personnages de Beatrix Potter.

Les ours de Grand-Mère, de Gina Wilson et Paul Howard. Reproduit avec l'autorisation de Walker Books Ltd, Londres SE11 5HJ. Titre original : *Grandma's Bears* © Gina Wilson 2004, pour le texte. © Paul Howard 2004, pour les illustrations. © Gallimard Jeunesse 2005, pour la traduction française. Traduction de Christine Rimoldy.

Laissez dormir le roi Alimango !, de Judy Sierra et Valeri Gorbachev. Reproduit avec l'autorisation de Random House, New York. Titre original : « Don't Wake King Alimango ! », conte des Philippines extrait de *Silly and Sillier ; Read-Aloud Tales from Around the World*, paru en France sous le titre *Les vingt contes les plus drôles du monde* © Judy Sierra 2002, pour le texte. © Valeri Gorbachev 2002, pour les illustrations. © Gallimard Jeunesse 2004, pour la traduction française. Traduction de Pascale Jusforgues.

De tout mon cœur, de Jean-Baptiste Baronian et Noris Kern. © Rainbow Grafics Intl-Baronian Books. © Gallimard Jeunesse 1998, pour l'édition française.

Les Bizardos rêvent de dinosaures, d'Allan Ahlberg et André Amstutz. Publié par William Heinemann Ltd, Londres. Titre original : *Funny Bones : Dinosaur Dreams* © Allan Ahlberg 1991, pour le texte. © André Amstutz 1991, pour les illustrations. © Gallimard Jeunesse 1994, pour la traduction française. Traduction d'Hélène Diane.

Pénélope est polie, d'Anne Gutman et Georg Hallensleben. © Gallimard Jeunesse 2005

Melrose et Croc, d'Emma Chichester Clark. Reproduit avec l'autorisation de HarperCollins Publishers Ltd. Titre original : *Melrose and Croc* © Emma Chichester Clark 2005. © Gallimard Jeunesse 2005, pour la traduction française. Traduction d'Anne Krief.

Gruffalo, de Julia Donaldson et Axel Scheffler. Publié par MacMillan Children's Books Ltd, Londres. Titre original : *Gruffalo* © Julia Donaldson 1999, pour le texte. © Axel Scheffler 1999, pour les illustrations. © Éditions Autrement 1999, pour la traduction française.

Mimi Artichaut, de Quentin Blake. Publié par Jonathan Cape Children's Books, Random House, Londres. Titre original : *Fantastic Daisy Artichoke* © Quentin Blake 1999. © Gallimard Jeunesse 1999, pour la traduction française. Traduction de Quentin Blake.

Le lion heureux, de Louise Fatio et Roger Duvoisin. Reproduit avec l'autorisation de Random House, New York. Publié pour la première fois par McGraw-Hill en 1954. Titre original : *The Happy Lion* © Louise Fatio Duvoisin et Roger Duvoisin 1954, 1982. © Gallimard Jeunesse 2005, pour la traduction française. Traduction d'Anne Krief.

Zabeth la chouette, d'Antoon Krings. © Gallimard Jeunesse 2003.

Le livre du dodo, de Judy Hindley et Tor Freeman. Reproduit avec l'autorisation de Walker Books Ltd, Londres SE11 5HJ. Titre original : *Sleepy Places* © Judy Hindley 2006, pour le texte. © Tor Freeman 2006, pour les illustrations. © Gallimard Jeunesse 2006, pour la traduction française. Traduction d'Anne Krief.

Les couleurs de la pluie, de Jeanette Winter. Publié par Frances Foster Books, Farrar, Straus and Giroux, New York. Titre original : *Elsina's Clouds* © Jeanette Winter 2004. © Gallimard Jeunesse 2004, pour la traduction française. Traduction d'Anne Krief.

Bienvenue Tigrou !, de Charlotte Voake. Reproduit avec l'autorisation de Walker Books Ltd, Londres SE11 5HJ. Titre original : *Gingers Finds a Home* © Charlotte Voake 2003. © Gallimard Jeunesse 2003, pour la traduction française. Traduction de Pascale Jusforgues, avec la collaboration de Paul Houssin.

Je ne veux pas aller au lit !, de Tony Ross. Publié par Andersen Press Ltd, Londres. Titre original : *I Don't Want to Go to Bed !* © Tony Ross 2003 © Gallimard Jeunesse 2003, pour la traduction française. Traduction d'Étienne de Bouchony.

Si la lune pouvait parler, de Kate Banks et Georg Hallensleben. © Gallimard Jeunesse 1997. Traduction d'Anne Krief.

Tu ne peux pas m'attraper !, de Michael Foreman. Publié par Andersen Press Ltd, Londres. Titre original : *Can't Catch Me !* © Michael Foreman 2005 © Gallimard Jeunesse 2005, pour la traduction française. Traduction d'Anne Krief.

Meg et Mog, de Helen Nicoll et Jan Pieńkowski. Publié par William Heinemann Ltd en 1972, puis par Puffin Books, Londres, en 1975. Titre original : *Meg and Mog* © Helen Nicoll 1972, pour le texte. © Jan Pieńkowski 1972, pour les illustrations. © Helen Nicoll et Jan Pieńkowski 1972, pour l'histoire et les personnages. © Gallimard Jeunesse 2004, pour la traduction française. Traduction d'Anne Krief.

Bonne nuit, petit dinosaure !, de Jane Yolen et Mark Teague. Publié par The Blue Sky Press, New York. Titre original : *How Do Dinosaurs Say Good Night ?* © Jane Yolen 2000, pour le texte. © Mark Teague 2000, pour les illustrations. © Gallimard Jeunesse 2002, pour la traduction française. Traduction d'Anne de Bouchony.

Tous les soirs du monde, de Dominique Demers et Nicolas Debon. © Gallimard Jeunesse - Les Éditions Imagine 2005.

Le yoga des petits pour bien dormir, de Rebecca Whitford et Martina Selway. Publié par Hutchinson, une division de Random House Children's Books. Titre original : *Sleepy Little Yoga* © Rebecca Whitford 2006, pour le texte. © Martina Selway 2006, pour les illustrations. © Gallimard Jeunesse 2006, pour la traduction française. Traduction de Stéphanie Alglave.

Malgré tous nos efforts, des erreurs ont pu se glisser dans ces crédits. Nous prions les éditeurs, auteurs, illustrateurs et leurs ayants droit de bien vouloir nous en excuser.